500 ACERTIJOS

Colección
Ópalo

500 ACERTIJOS

Blanca Olivas

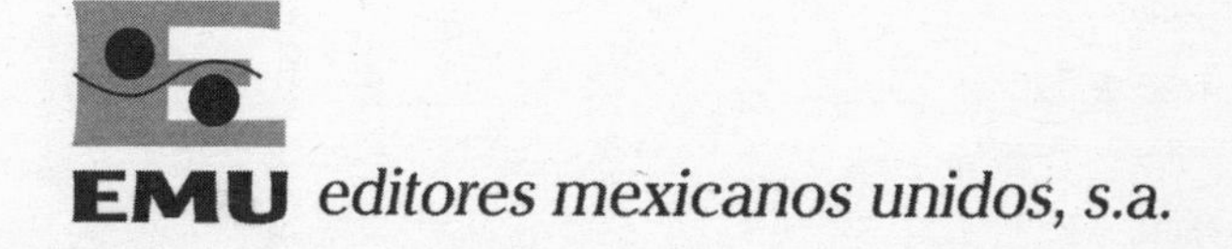

Luis González Obregón 5, Col. Centro,
Cuauhtémoc, 06020, D. F.
Tels. 55 21 88 70 al 74
Fax: 55 12 85 16
editmusa@prodigy.net.mx
www.editmusa.com.mx

Coordinación editorial: Mabel Laclau Miró
Diseño de portada: Carlos Varela
Formación y corrección: Equipo de producción de
Editores Mexicanos Unidos

Miembro de la Cámara Nacional
de la Industria Editorial. Reg. Núm. 115.

1a edición: marzo de 2010

ISBN (título) 978-607-14-0285-1
ISBN (colección) 978-607-14-0260-8

Impreso en India
Printed in India

ADIVINA ADIVINANZA

Respuestas en la página 27

1. Es blanco como la leche
y negro como el carbón;
es dulce como la miel
y agrio como el limón.

2. En el agua se hace
y en ella se deshace.

3. Por tener luz, así me llaman,
y cuando llego, la luz apagan.

4. Puede ser domesticado,
y aunque suele ser muy sucio
termina siendo un bocado.

5. Me toman de los pies
para golpear al derecho y al revés.

6. Chiquito como un gallo
y carga como un caballo.

7. Dos hermanos son,
uno va a misa y el otro no.

8. Come y no tiene boca,
anda y no tiene pies. ¿Qué es?

9. Para unos soy muy corto;
para otros, regular;
para los tristes, muy largo;
para dios, la eternidad.

10. Nombre de ciudad tengo,
y a todo el que froto
algo le desprendo.

11. No es almendra,
no es avellana,
dime entonces qué es.

12. En todos los días de la semana me hallarás,
pero no así en domingo,
en el que no me encontrarás.

13. Delante o detrás de mí vas,
aunque corras o retrocedas
nunca me alcanzarás.

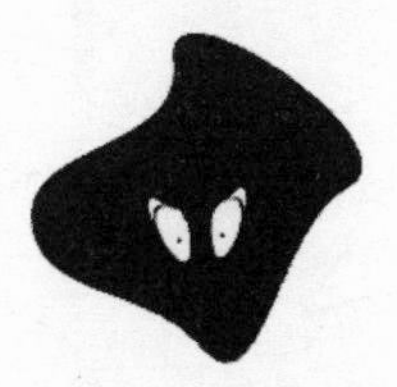

14. Dos buenas piernas tenemos
y no podemos andar,
pero el hombre sin nosotros
no se puede presentar.

15. Me meten girando
aunque entre rascando.

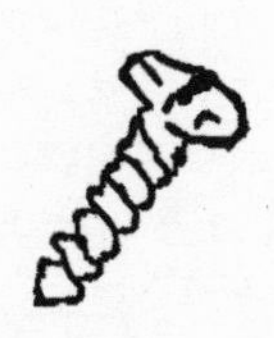

16. Brazos con brazos,
panza con panza;
rascando en medio
se hace la danza.

17. Si la pego en la pared de mi vecina,
me enteraré hasta de si canta su gallina.

18. Suelo ser lo que soy.

19. Tengo hojas sin ser árbol,
te hablo sin tener voz,
si me abres no me quejo,
adivina quién soy yo.

20. Gracias a mí se ve,
y gracias a mí se deja de ver.
¿Me puedes decir qué es?

21. Por las noches cargado de lucecitas está;
cuando amanece, ninguna tiene ya.

22. Recogida en el monte soy,
y cuando ardo me voy.

23. Tras las puertas siempre estoy,
pero nunca me voy.

24. Dicen que son de dos,
pero siempre son de una.

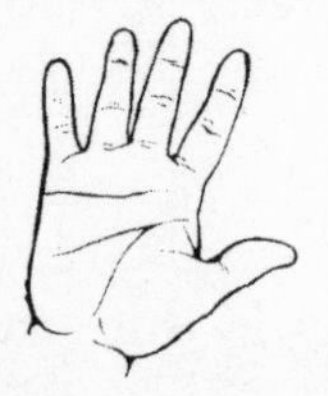

25. Fui y no soy, no soy
y fui, mañana seré
y siempre hablan de mí.

26. Espuma que no es de mar,
ni de agua o de jabón.

27. Por las mañanas y las tardes
crece, pero al mediodía desaparece.

28. Estuvo de pie,
estuvo parado,
estuvo unido,
pero nunca casado.

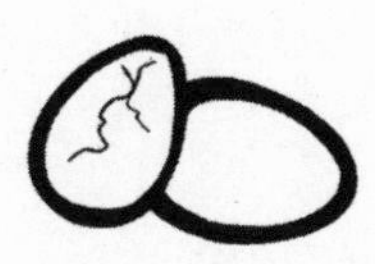

29. Entre dos paredes blancas
hay una flor amarilla
que se le puede ofrecer
al mismo rey de Sevilla.

30. En unos montes espesos
anda un animal sin huesos.

31. Dos niñas van a la par
y no se pueden mirar.

32. ¿Cuál es la cosa
que encima de todo se posa?

33. Doce son los hermanitos,
uno es el benjamín,
siete son los mayorcitos
y los cuatro restantes
los más pequeñitos.

34. Blanco suelo ser
y aunque de una torre caiga,
nada me puedo hacer.

35. Dicen que soy madurez,
pero me esconden.
Dime quién soy de una vez.

36. Quien pinta es pintor;
yo pinto y no recibo tal honor.

37. Nos iremos a dormir,
haremos lo que dios manda,
juntaremos pelillo con pelillo
y nos taparemos con la manta.

38. Larga, larga y lisa,
y lleva puesta una camisa.

39. Me llegan las cartas y no sé leer,
y aunque me las trago,
no mancho el papel.

40. El negro es mi color favorito
y la luz mi enemigo infinito.

41. En las ferias lo encuentras,
en las fábricas también;
hay a quien le apetece,
pero a nadie sienta bien.

42. Dicen que mi tía Cuca
arrastra una mala racha.
¿Quién será esta muchacha?

43. Si te la digo lo sabes,
si no te la digo también,
¿qué es?

44. En las manos de las damas
casi siempre estoy metido;
unas veces estirado
y otras veces encogido.

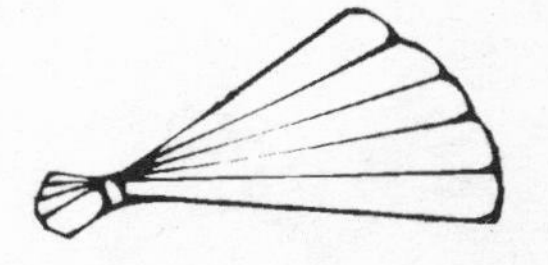

45. Siempre quietas,
siempre inquietas,
durmiendo de día,
de noche despiertas.

46. En el campo fui nacida,
vestida de verdes ramas,
y al pueblo me trajeron
para servir a las damas;
a mí todo me regalan,
caramelos, miel, melada,
mas yo todo lo reparto
porque no sé comer nada.

47. Cuando mozo, canoso;
cuando viejo, hermoso.

48. Con nombre de varón nací
y cuando en edad entré,
en mujer me convertí.

49. Verde nací,
rubio me cortaron,
presto me molieron
y blanco me amasaron.

50. Nunca podrás alcanzarme
por más que corras tras de mí,
y aunque quieras retirarte,
siempre iré yo junto a ti.

51. Juana va, Juana viene
y en el camino se entretiene.

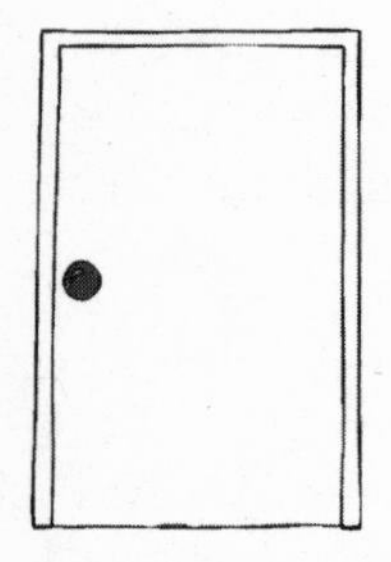

52. Del tamaño de una nuez,
sube al monte y no tiene pies.

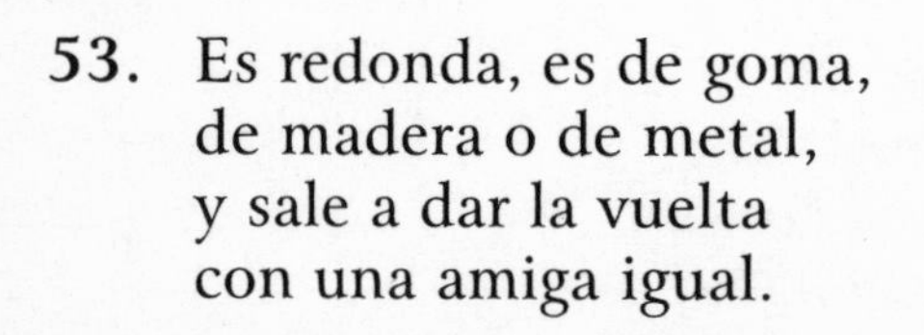

53. Es redonda, es de goma,
de madera o de metal,
y sale a dar la vuelta
con una amiga igual.

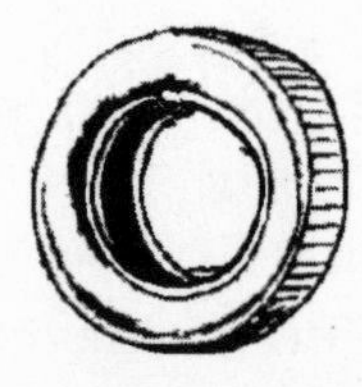

54. Cabezón y muy delgado,
que se pone siempre negro
después de haber sido frotado.

55. Como aquella reina rica,
entre un clavel y una rosa
escoja usted, señorita.

56. Colgado, atado o de pie me tienen;
unos me quieren y otros me temen.

57. En la Luna es la primera
y la segunda en Plutón.
En la Tierra no se encuentra
y es la última en el Sol.

58. En verano barbudo
y en invierno desnudo.

59. Me cogen de las piernas los humanos,
para que yo haga con la cabeza
lo que no pueden hacer ellos con sus manos.

60. Chiquita como la vela
y toda la casa llena.

61. Cuanto más caliente, más fresco es.

62. ¿Cuál es la cosa que cruda
no existe ni puede ser,
pero, aunque se encuentra cocida,
no se puede comer?

63. El camello lleva al animal y el animal
no puede llevar al camello. ¿Qué será?

64. Grande, muy grande,
mayor que la Tierra,
arde y no se quema,
quema y no es candela.

65. Soy una pobre mujer
privada de alma y de cuerpo,
que sólo me dejo ver
cuando voy bien tapada
y toda de negro.

66. Tul y no es tela,
pan, pero no de mesa.

67. Lo contrario de un hombre soy,
él se mueve, yo quieto estoy;
él tiene los pies abajo y yo arriba,
él tiene la cabeza arriba
y yo la tengo abajo.

68. De tierra morena vengo,
estirando y encogiendo;
amárrenme las gallinas
que a los perros no les temo.

69. Arrogante caballero,
tiene capa de oro
y espuelas de acero.

70. Una señora muy aseñorada
viaja en tren sin pagar nunca nada.

71. Mi nombre ya leo,
me apellido pardo,
quien no lo adivine
es un poco tardo.

72. Adivina, adivinajera,
no tiene traje y sí faltriquera.

73. Con seis letras formarás
cosa de mucho alimento
que, de color trasparente,
para comer usarás.

74. Te digo y te repito
y te vuelvo a decir,
y por más que te digo
no lo vas a adivinar.

75. Por más que me cubren
al final me descubren.

76. Pequeña como un botón,
tengo energía de campeón.

77. Todo el mundo me quiere,
todo el mundo me mima;
hay quien no me da gran valor;
tenerme es una suerte.
Al final todos se obligan
a guardarme hasta la muerte.

78. Por un camino estrechito,
va caminando un bicho
cuyo nombre ya te he dicho.

79. Rojo ha sido siempre mi vivir,
pero algunos de azul me quieren vestir.

80. Esta dama puede ser bonita,
aunque a veces resulte gritoncita.

81. Blanca como la leche,
negra como la pez,
habla y no tiene boca,
anda y no tiene pies.

82. Quien me mira se refleja,
así nadie tendrá ni una queja.

83. Es redonda como un balón
y da vueltas alrededor del Sol.

84. Aunque no soy un donjuán,
a las mujeres caliento
y ante sus piernas me siento.

85. Canto en la orilla,
vivo en el agua,
y no soy pez ni cigarra.

86. Toda la noche esperando
estoy con la boca abierta,
hasta que por la mañana
al punto me la cierran.

87. Cuando nuevo, hombre,
cuando viejo, mujer.

88. En quince días me crío,
en otros quince me muero,
vuelvo a nacer de nuevo
y a todo el mundo sirvo.

89. Cuando sale de su rincón,
o es una delicia o es una perdición.

90. Si se salvó fue la Virgen;
si murió fue el doctor.
¿De quién le hablo, señor?

91. Barco de madera es
y al hombre le llega
de la cabeza a los pies.

92. Relumbra más que el Sol
y sus culebrillas al final tienen son.

93. Salí de la tierra
sin yo quererlo
y maté a un hombre
sin yo saberlo.

94. Tras, tras,
con los ojos para atrás.

95. No tiene pies y corre,
no tiene alas y vuela,
no tiene cuerpo y vive,
no tiene boca y habla,
sin armas lucha y vence
y siendo nada, está.

96. Como una Magdalena
llora lágrimas ardientes.

97. Viene del cielo, del cielo viene,
a unos disgusta y a otros mantiene.

98. Al llegar el alba
se oye un cantar,
quien no lo adivine
tonto será.

99. Topó mi padre en la iglesia
a alguien vestido de negro,
ni era fraile ni era cura,
que era lo que dije primero.

100. Agua de tus lindas manos,
cate de mi corazón;
te comerás la comida
y echarás el corazón.

101. Santa con nombre de flor
y a pesar de este retrato,
me confunden con zapato.

102. Seguí mi eterno camino,
allá, siempre más allá,
y se murieron todos aquellos
que me querían acompañar.

103. En primavera deleito,
en verano te refresco,
en otoño te alimento
y en invierno te caliento.

104. Del nogal vengo
y en el cuello del hombre me cuelgo.

105. Por las noches me paseo,
y durante el día algunas veces me veo.

106. No soy ningún pez,
pero del agua no salgo;
y cuando llega la noche
soy feliz cantando.

107. Uno se cree superior,
el otro por inferior se tiene,
sin decirse nunca jamás nada
mucho se quieren,
tanto que siempre
se están besando.

T

108. Tomate la tiene,
pimiento casi la finaliza
y a Tarzán eterniza.

109. No corre ni vuela,
pero siempre te precede
cuando vas o cuando llegas.

110. Este banco está ocupado
por un padre y por su hijo;
el hijo se llama Juan
y el padre ya te lo he dicho.

111. Blanca soy,
y como dice mi vecina,
útil siempre soy en la cocina.

112. Una c de media luna,
una a de la fortuna,
una n con turbante
y una a más adelante.

113. Es una cosa potente
que, sin piernas y sin alas,
corre y vuela atravesando
montes, ríos y montañas.

114. Una señora muy aseñorada
que guisa de todo y no come nada.

115. Tengo cinco habitaciones
y en cada una un inquilino.
En invierno, si hace frío,
todos viven calientitos.

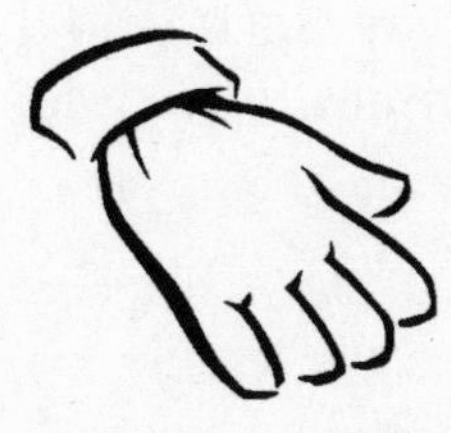

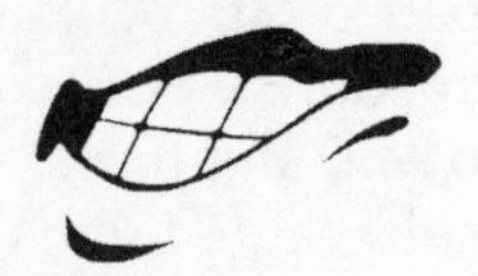

116. Formados como soldados
vamos en fila
y somos carniceros
en nuestra vida.

117. ¿Qué será, qué será,
que siempre está en la puerta
y jamás puede entrar?

118. Dicen que el más tonto la encuentra
y que, a pesar de todo,
ni el más sabio sabe cómo dar con ella.

119. Cuando abro la boca enseño
blanca y fina dentadura.
Cuando me pongo a hablar,
todos los demás rítmicamente
se mueven.

120. De agua soy, de tierra y aire;
cuando de andar me canso,
si se me antoja vuelo,
si se me antoja nado.

121. Muy bonito por delante
y muy feo por detrás;
me trasformo a cada instante,
pues imito a los demás.

122. Del agua se hace
y en el agua se deshace.

E

123. En medio del cielo estoy
sin ser lucero ni estrella,
sin ser Sol ni Luna bella;
a ver si aciertas quién soy.

124. Con varillas me sostengo,
con la lluvia voy y vengo.

125. Soy buen confidente
pues lo que en mí se guarda
sólo lo lee el que aguarda.

126. Hasta los machos más
machos tienen dos.

127. Dicen que soy rey y no tengo reino;
dicen que soy rubio y no tengo pelo;
dicen que ando y no me meneo;
arreglo relojes sin ser relojero.

128. Soy un viejo arrugadito
y si me echan al agua,
siempre me pongo gordito.

129. Hablo sin tener boca,
me lanzan por un terraplén
y cuando llego a una casa,
todos me quieren ver.

130. Cincuenta damas,
cinco galanes,
ellos piden pan,
ellas piden aves.

131. Dos hermanitos muy igualitos,
si llegan a viejos, abren los ojitos.

132. ¿Qué es aquello que pasa el
río sin hacer sombra?

133. Nos cuentan cuando salimos,
haga calor o haga frío;
la noche es nuestra aliada
y el día nuestro enemigo.

134. Si quieres las tomas y, si no, las dejas,
aunque suelen decir que son comida de viejas.

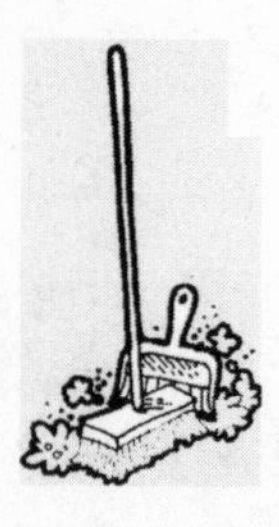

135. Sobre las cosas me pongo,
apenas si se me nota;
pero viene la criada
y con un trapo me azota.

136. Dos buenas hermanas son,
pero con diferente educación.

137. Brazos tengo desiguales
y a mi ritmo se mueven los mortales.

138. Cartas van y cartas vienen;
pasan por el mar y no se detienen.

139. Gran cazador es,
vive en nuestras casas
y no deja enemigo en pie.

140. Al final de la torre está
y muchos cabezazos con ella da.

141. Estoy en el mar y no me mojo,
en las brasas y no me quemo,
en el aire y me sostengo,
y hasta estoy en abuelo.

142. En un paraguas sin barrillero
van las dos patas del mes de enero.

143. Soy de hierro,
mi cuerpo es de madera;
si te doy un golpe,
tamaño grito que pegas.

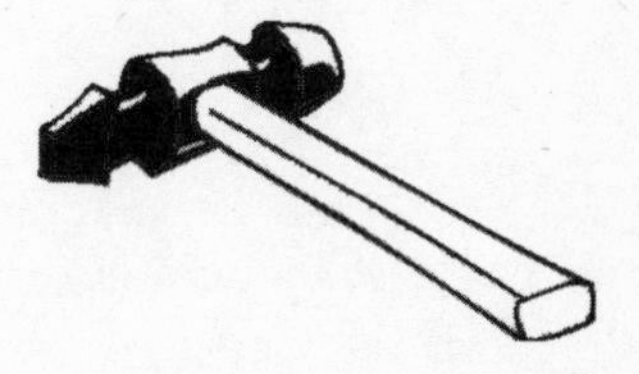

144. No brilla y saca brillo,
aunque por eso se quede calvillo.

145. Por las noches aparece,
los mayores lo cogen solos
y los pequeños cuando se les mece.

146. No lo parezco y soy pez,
y mi forma la refleja una pieza de ajedrez.

147. En los peces me duplico
y en las casas yo no existo.
¿Ya adivinaste qué es?

148. Es una señora
que se quema el pelo y llora.

Respuestas de

ADIVINA ADIVINANZA

1. El amor
2. La sal
3. El día
4. El cerdo
5. El martillo
6. El zapato
7. Vino blanco y vino tinto
8. El fuego
9. El tiempo
10. La lima
11. La nuez
12. La letra S
13. La sombra
14. Los pantalones
15. El tornillo
16. La guitarra
17. La oreja
18. El suelo
19. El libro

20. La luz
21. El cielo
22. La leña
23. El cerrojo
24. Los dedos
25. El ayer
26. El puma
27. La sombra
28. El tubo
29. El huevo
30. El piojo
31. Las pupilas
32. El pensamiento
33. Los meses del año
34. El papel
35. Las canas
36. El pincel
37. Los ojos
38. La culebra
39. El buzón
40. La noche
41. El ruido
42. La cucaracha
43. La tela
44. El abanico
45. Las estrellas
46. La mesa
47. El durazno
48. El pimpollo y la rosa
49. El trigo
50. La sombra
51. La puerta
52. El caracol
53. La rueda
54. El cerillo
55. Es coja
56. El reloj
57. La letra L
58. El bosque
59. Las pinzas
60. La luz
61. El pan
62. La ceniza
63. La pulga
64. El Sol
65. La noche
66. El tulipán
67. El árbol

68. La lombriz
69. El gallo
70. La mosca
71. El leopardo
72. El canguro
73. El aceite
74. El té
75. La mentira
76. La pila o batería
77. La vida
78. La vaca
79. La sangre
80. La voz
81. La carta
82. El espejo
83. La Tierra
84. El brasero
85. La rana
86. La bota o el zapato
87. El zapato y la chancla
88. La Luna
89. La lengua
90. Del enfermo
91. El ataúd
92. El relámpago
93. La bala
94. Las tijeras
95. El viento
96. La vela
97. La lluvia
98. El gallo
99. El topo
100. El aguacate
101. La sandalia
102. El tiempo
103. El árbol
104. La nuez
105. La Luna
106. La rana
107. Los labios
108. La letra T
109. La puerta
110. Esteban
111. La harina
112. La caña
113. La voz
114. La cocina
115. El guante

116. Los dientes
117. El umbral
118. La suerte
119. El piano
120. El pato
121. El espejo
122. El hielo
123. La letra E
124. El paraguas
125. El sobre
126. Muñecas
127. El Sol
128. El garbanzo
129. La carta
130. El rosario
131. Los zapatos
132. El ruido
133. Las estrellas
134. Las lentejas
135. El polvo
136. Las manos
137. El reloj
138. Las nubes
139. El gato
140. La cabeza
141. La letra A
142. La letra N
143. El martillo
144. El cepillo
145. El sueño
146. El caballito de mar
147. La letra E
148. La vela

PREGUNTAS DIVERTIDAS

¿Sabes por qué los elefantes tienen dos agujeros en la trompa?
Uno es para el agua caliente y el otro para la fría.

¿Cuál es el más alegre de todos los oficios?
El de barrendero, porque siempre va riendo.

¿Cuál es el animal más extraño del mundo?
El escarabajo, porque aunque esté cara arriba, es cara abajo.

¿Qué cosa tiene cinco agujeros en un agujero?
El guante.

Hay una cabeza que no tiene sesos. ¿Cuál es?
La del clavo.

◇◇

¿Qué es aquello que, cuanto más crece, menos pesa?
La calvicie.

◇◇

¿Quién es el que puede ir a la casa de los otros animales, pero no puede invitar a nadie a la suya?
El caracol.

◇◇

¿Sabes por qué el cazador cierra un ojo al disparar?
Porque si cerrara los dos no vería.

◇◇

¿Cuál es el ave que tiene más letras?
El abecedario.

◇◇

¿Por qué los peluqueros de Guanajuato prefieren cortarle el pelo a diez gordos antes que a un flaco?
Porque ganan diez veces más dinero.

◇◇

¿Cuál es el animal que está en medio del purgatorio?
El gato.

◇◇

¿Cómo se debe escribir, “dormiendo” o “durmiendo”?
Se debe escribir despierto.

◇◇

¿Cuántos chinos hay en China?
Ninguno, todos son lacios.

◇◇

¿Qué cosa es peor que una jirafa con dolor de cuello?
Un ciempiés con dolor de pies.

◇◇

¿Quién es el padre con veintinueve hijas, las cuales abarcan todo lo que existe en el mundo?
El diccionario.

¿Qué animal es un cereal al revés?
La zorra.

Cuando te miras en un espejo, ¿dónde tienes la mano derecha?
En el mismo lugar que cuando no te miras.

¿Cuál es el animal más valioso de la Tierra?
El l-oro.

¿Por qué los perros mueven el rabo?
Porque hasta ahora ningún rabo ha podido mover a un perro.

¿Qué hay en la sala que no puede haber en el comedor?
La letra "a".

¿Qué animal come con la cola?
Todos; ninguno se la quita para comer.

¿Por qué se fueron de su casa los cochinitos?
Porque su mamá era una cochina.

¿De qué manera se puede trasportar agua en una coladera?
Cuando está congelada.

¿Cuál es el animal más grande de la Ciudad de México?
El camellón de Insurgentes.

◇◇◇◇◇◇◇◇◇◇◇◇◇◇◇◇◇◇◇◇

¿Dónde se queda el gato cuando se apaga la luz?
En la oscuridad.

◇◇◇◇◇◇◇◇◇◇◇◇◇◇◇◇◇◇◇◇

¿Qué cosa se puede llevar en un bolsillo roto sin perderla nunca?
El agujero.

◇◇◇◇◇◇◇◇◇◇◇◇◇◇◇◇◇◇◇◇

¿Qué pasó ayer en Puebla de seis a siete?
Una hora.

◇◇◇◇◇◇◇◇◇◇◇◇◇◇◇◇◇◇◇◇

¿Cuál es el animal que vuela más alto que todos?
El piojo del astronauta.

◇◇◇◇◇◇◇◇◇◇◇◇◇◇◇◇◇◇◇◇

¿Qué es lo único que sirve para detener la caída del cabello?
El suelo.

◇◇◇◇◇◇◇◇◇◇◇◇◇◇◇◇◇◇◇◇

¿Dónde duerme un elefante de dos toneladas de peso?
Donde puede.

◇◇◇◇◇◇◇◇◇◇◇◇◇◇◇◇◇◇◇◇

¿Por qué los perros le ladran a los coches?
Porque llevan un gato.

◇◇◇◇◇◇◇◇◇◇◇◇◇◇◇◇◇◇◇◇

Cancún empieza con "c", ¿y termina con...?
La palabra "termina" empieza con "t".

◇◇◇◇◇◇◇◇◇◇◇◇◇◇◇◇◇◇◇◇

¿Qué se pone Superman después de bañarse?
Superfume.

◇◇◇◇◇◇◇◇◇◇◇◇◇◇◇◇◇◇◇◇◇◇◇◇◇◇◇◇◇◇

Algunos meses tienen treinta días; otros, treinta y uno. ¿Cuántos tienen veintiocho?
Todos.

◇◇◇◇◇◇◇◇◇◇◇◇◇◇◇◇◇◇◇◇◇◇◇◇◇◇◇◇◇◇

¿De qué se alimenta un león muerto de hambre?
De nada, porque está muerto.

◇◇◇◇◇◇◇◇◇◇◇◇◇◇◇◇◇◇◇◇◇◇◇◇◇◇◇◇◇◇

¿Por qué se la pasa llorando el libro de inglés?
Porque nadie lo comprende.

◇◇◇◇◇◇◇◇◇◇◇◇◇◇◇◇◇◇◇◇◇◇◇◇◇◇◇◇◇◇

¿Qué cosa está por encima de dios?
El punto de la i.

◇◇◇◇◇◇◇◇◇◇◇◇◇◇◇◇◇◇◇◇◇◇◇◇◇◇◇◇◇◇

¿Qué se pone Flash cuando llega a su casa?
Las pantuflash.

◇◇◇◇◇◇◇◇◇◇◇◇◇◇◇◇◇◇◇◇◇◇◇◇◇◇◇◇◇◇

¿Cuál es el perro más perezoso?
El cansado.

◇◇◇◇◇◇◇◇◇◇◇◇◇◇◇◇◇◇◇◇◇◇◇◇◇◇◇◇◇◇

¿Por qué muchos pintores famosos son holandeses?
Porque nacieron en Holanda.

◇◇◇◇◇◇◇◇◇◇◇◇◇◇◇◇◇◇◇◇◇◇◇◇◇◇◇◇◇◇

Al entrar al Paraíso, ¿qué planta puso Adán?
La planta del pie.

◇◇◇◇◇◇◇◇◇◇◇◇◇◇◇◇◇◇◇◇◇◇◇◇◇◇◇◇◇◇

¿Qué caballo salta sin tener que usar sus patas?
El caballo del ajedrez.

◇◇◇◇◇◇◇◇◇◇◇◇◇◇◇◇◇◇◇◇◇◇◇◇◇◇◇◇◇◇

¿En qué idioma regaña una tortuga a su tortuguita?
En tortugués.

Un cazador llamado Pedro va de caza. Hoy come la liebre y mañana la mata. ¿Cómo es eso posible?
La liebre come hoy, como cada día, y, mañana, Pedro la mata.

¿Cuántas veces se puede restar 1 del número 1 111?
Sólo una, pues entonces el número ya no sería 1 111, sino 1 110.

¿Qué es un circuito?
Un lugar en el que hay elefantuitos, caballuitos, payasuitos, etcétera.

¿Qué tiene Adán delante que Eva tiene detrás?
La letra "a".

¿Cómo llaman a los bomberos en Alemania?
Por teléfono.

¿Por qué dan vueltas los perros antes de acostarse?
Porque están buscando su almohada.

¿Qué es un punto dentro de un ataúd?
Un punto muerto.

¿Qué árbol no puede dar sombra?
El que todavía no ha nacido.

¿Quién puede hablar en todos los idiomas?
El eco.

El elefante es un animal célebre por su gran memoria. ¿Cómo le hace para acordarse de todo?
Se hace un nudo en la trompa.

¿Quién es el que no puede mantenerse en pie si no bebe?
El embudo.

¿Qué cosa atraviesa el río y no hace sombra?
La voz.

¿Por qué maúllan los gatos?
Porque no saben ladrar.

¿Dónde esconderías a una oveja?
En un rebaño.

En un árbol hay siete perdices. Llega un cazador y con su rifle mata a dos. ¿Cuántas quedarán en el árbol?
Ninguna, pues el disparo las asusta.

¿Qué hace una vaca cuando sale el Sol?
Sombra.

¿Qué pesa más, un kilo de plumas de ave o un kilo de plomo?
Los dos pesan lo mismo, o sea, un kilo.

¿Qué animal salta más alto que una casa?
Todos. Las casas no saltan.

◇◇

¿Cuál es la estrella que no tiene luz?
La estrella de mar.

◇◇

¿Qué es un puntito verde en un rincón?
Una aceituna castigada.

◇◇

¿Qué es una amiba?
Una amiba es una enemiba.

◇◇

¿Por qué los perros entierran los huesos?
Porque no tienen bolsillos para guardarlos.

◇◇

¿En qué lugar el jueves va antes que el miércoles?
En el diccionario.

◇◇

Un pato y un gato nacen al mismo tiempo.
Trascurrido un año, ¿cuál es mayor de los dos?
El pato, pues tiene año y pico.

◇◇

¿Qué se hace en un pueblo pequeño
cuando se pone el sol?
Se hace de noche.

◇◇

¿Por qué, al echarse al mar, los
buzos siempre se tiran de espaldas?
Porque si se tiraran de frente
caerían dentro de la lancha.

◇◇

En un automóvil, ¿cuál es la rueda que menos vueltas da durante un viaje?

La de repuesto.

¿A qué es igual camisa y media y camisa y media?

A dos camisas y un par de medias.

¿Qué hacen dos ardillas en un árbol?

Un número par.

¿Quién fue el primero que murió en la guerra de los Cien Años?

Uno que estaba vivo.

¿Por qué las cigüeñas encogen una pata al dormir?

Porque si encogieran las dos, se caerían.

ACERTIJOS CON NÚMEROS

Respuestas en la página 49

I

A continuación te presentamos tres cifras, colocadas hacia abajo en tres renglones:

111
555
999

Ahora debes tachar seis dígitos de estas cifras, a fin de lograr que la suma de los tres restantes dé 20 como resultado. La operación final debe quedar como sigue:

  ???
+ ???
+ ???
  20

2

Un niño se come un pastel y medio en un minuto y medio. ¿Cuántos niños se comerán sesenta pasteles en media hora?

3

El señor Gómez y sus dos hijos deben cruzar un río en una barca que sólo puede llevar una carga de ochenta kilos. Si el señor pesa setenta kg y cada uno de sus hijos pesa cuarenta kg, ¿de qué modo podrán pasar al otro lado del río?

4

En una fiesta se reunieron los dos socios de una empresa, cada uno con su esposa, seis de sus empleados con sus esposas y tres niños por cada familia de los empleados. ¿Cuántos fueron en total a la fiesta?

5

¿Cuál fue el primer día del siglo XX?

6

El mundo de los números tiene muchas cosas curiosas. Para muestra, un botón: si multiplicas el número 142857 por cualquier número del dos al seis, el resultado será, en cada caso, un número integrado por las mismas cifras y exactamente en el mismo orden, aunque con la posición corrida. Ejemplo:

$$142857 \times 3 = 428571$$

O bien:

$$142857 \times 4 = 571428$$

Ahora, ¿qué crees que suceda si lo multiplicas por siete?

7

¿De qué manera podrías obtener el número 1 000 usando ocho ochos?

8

Suponiendo que un piano tiene ochenta y siete teclas, de las cuales dos tercios son blancas y el tercio restante son negras, ¿cuántas teclas blancas hay y cuántas negras?

9

Con excepción de uno, todos los números de las siguientes columnas son diferentes. ¿Cuál es el número que se repite?

66	10	36	71	29	89	43	27
35	17	93	14	84	46	68	58
2	12	99	48	38	69	94	55
5	53	85	65	28	33	78	96
31	56	82	87	54	6	23	63
81	8	76	60	79	42	32	74
11	15	92	41	22	45	50	4
23	59	90	19	61	98	20	1
26	44	25	64	51	80	75	47
62	7	37	21	70	9	16	83
97	24	73	88	39	86	95	18
34	49	40	3	91	72	67	77
57	52	30	13				

10

Si en Navidad me reuniera con mis padres, mis abuelos y mis cinco hermanos, ¿cuántos seríamos en total?

11

A Rosita le encantan los dulces. Hoy fue a la dulcería y pidió dos docenas de caramelos de los siguientes sabores: "Quiero que me dé dos caramelos más de limón que de fresa; uno menos de piña que de limón, y cinco veces más de naranja que de piña". ¿Cuántos caramelos de cada sabor compró Rosita?

12

Al morir, un árabe le heredó a sus tres hijos cincuenta y cinco camellos. Dejó escrito en su testamento que se los repartieran de la siguiente manera: la mitad de los camellos para el mayor, un tercio para el segundo y un noveno para el tercero.

—El problema —le explicaba el mayor de los tres a su vecino— es que a mí me tocan veintisiete camellos y medio; a Latif dieciocho y un tercio, y a Jafuz seis camellos y un noveno. Pero nosotros ni deseamos ni podemos partir los camellos.

—Ni tendrían por qué hacerlo —dijo Jalil, su vecino—. Si ustedes me regalan uno de los camellos, yo les diría cómo repartirlos de modo que cada uno reciba un poco más de lo que han calculado. ¿Qué dicen? ¿Están de acuerdo en darme uno de los camellos?

—¡Por supuesto! —exclamaron los tres. Y así se hizo. ¿Qué fue lo que les propuso el vecino Jalil?

13

Dime un número que sea menor que treinta, pero que al triplicarlo dé la mitad de ciento cincuenta.

14

José fue al pueblo a comprar caballos. Al volver a la hacienda, su hermano Martín le preguntó que cuántos caballos había comprado.

—Pues verás, Martín —responde José—, si sumas las orejas, más las colas, más las bocas, más las patas de todos ellos y al resultado le restas el número de caballos que he comprado, el total será doscientos cuarenta y cinco.

¿Cuántos caballos compró José en total?

15

Si el papá de Josué tiene 38 años de edad y Josué tiene veintinueve años menos que su papá, ¿cuánto sumarán las edades de los dos?

16

El rey Francisco II es muy supersticioso y dice que el número 4 le trae suerte. Por tal razón, ha ordenado que las habitaciones de su palacio destinadas a cada uno de sus ministros se señalen con números del uno al diez, pero solamente se puede utilizar el número cuatro, más los símbolos de la suma, la resta, la división, además de las fracciones. ¿De qué manera ha quedado señalada cada una de las diez puertas?

17

Después de resolver exitosamente el caso de un peligroso criminal, Sherlock Holmes redactó, con la ayuda del Dr. Watson, un mensaje cifrado que envió de inmediato al inspector Lestrate. En dicho mensaje, cada letra está representada por una cifra de dos números. El primero de estos números corresponde a la fila vertical; el segundo, a la horizontal de la cuadrícula siguiente:

	1	2	3	4	5	6
1	a	b	c	ch	d	e
2	e	g	h	i	l	k
3	l	ll	m	n	ñ	o
4	p	q	r	s	t	u
5	v	w	x	y	z	

El mensaje cifrado es el siguiente:

16 31 13 46 31 41 11 12 31 16 16 44
33 11 34 36 34 16 22 43 11 13 11 41
45 46 43 16 31 36 15 16 24 34 33 16
15 24 11 45 36

¿Puedes descifrarlo?

18

José, el señor que vende flores en el carrito de la esquina, tiene 30 rosas rojas y 28 rosas blancas, o sea, un total de 58 flores. Pedro le va a comprar dos grandes ramos: uno para su mamá y otro para su novia, pero le pide a José que uno dc los ramos sea exactamente el doble del otro. ¿Cuántas rosas tendrá cada ramo y cuántas le sobrarán a José?

19

Hace nueve años tenía nueve años. Al pasar nueve años de mi nacimiento, tenía nueve años, y después de nueve años más tengo nueve años más nueve años. ¿Cuántos años tengo?

20

¿Puedes decirme cuántas mascotas tengo, si todos son perros menos dos, todos son gatos menos dos, y todos son loros menos dos?

21

¿Es más el 75% de 25 que el 25% de 75?

22

¿Cuál es la diferencia entre media docena de doce docenas de huevos y seis docenas de huevos?

23

Si tres niños cazan tres moscas en tres minutos, ¿cuánto tardarán treinta niños en cazar treinta moscas?

24

Si en una enorme jaula con conejos y palomas hay 35 cabezas y 94 patas, ¿cuántas palomas hay exactamente?

25

¿Qué número completa la siguiente serie: 19, 28, 36, 42, 44, 48...?

26

En una calle hay cien casas. Se le pide a un herrero que les ponga números a todas las casas del uno al cien. ¿Cuántos nueves deberá fabricar?

27

Un pastor le dijo a otro lo siguiente:

—Si te doy una de mis ovejas, tú tendrías el doble de las que yo tengo. Pero si tú me regalas una de las tuyas, tendríamos entonces las mismas.

¿Cuántas ovejas tenía cada uno?

28

Si en una mano hay cinco dedos, y en dos manos hay diez, ¿cuántos dedos hay en diez manos?

29

Fíjate bien: pan, pan y pan, más pan y pan y medio, más cuatro medios panes, más tres panes y medio, ¿cuántos panes son?

30

¿Lleva algún orden la siguiente secuencia de números: 0, 5, 4, 2, 9, 8, 6, 7, 3, 1 ?

31

¿Cuántos puntos hay en total en un par de dados?

32

Si hacemos una operación con números romanos, ¿cuánto es C - LXXIX?

33

Tengo la misma cantidad de monedas de cinco pesos que de un peso, y sumando las dos tengo noventa pesos. ¿Cuántas monedas tengo de cada denominación?

34

A continuación te presentamos, en desorden, todos los números del cero al treinta, con excepción de uno. ¿Cuál es el número que falta? Intenta responder en menos de un minuto.

28	14	16	3	17	2	23	12
18	10	6	5	7	25	19	8
29	9	26	15	1	4	24	30
21	11	13	27	22			

SOLUCIONES A ACERTIJOS CON NÚMEROS

1. Hay que tachar el 1 de la izquierda, los tres 5 y los dos 9 de la izquierda, a fin de que quede como sigue:

```
  X 1 1
+ X X X
  X X 9
-------
    2 0
```

2. Si un niño se come un pastel en un minuto y medio, entonces en tres minutos podrá comerse dos pasteles y, en treinta minutos, veinte pasteles. Por tanto, hacen falta otros dos niños para comerse sesenta pasteles en media hora.

3. Primero pasan los dos hijos en la barca. Luego uno de ellos se regresa por su papá. El padre se va solo mientras el hijo se queda. Cuando el padre llega a la otra orilla, el otro hijo vuelve por su hermano y regresan juntos. De ese modo, los tres han cruzado el río.

4. Los dos socios más sus esposas suman cuatro, los seis empleados y sus esposas suman doce, y tres hijos por cada empleado dan la cantidad de dieciocho. Entonces sumamos 4+12+18=34.

5. El primero de enero de 1901 (no de 1900).

6. El resultado también es sorprendente: 999 999.

7. De la siguiente manera: 888 + 88 + 8 + 8 + 8 =

1000.

8. Hay cincuenta y ocho teclas blancas y veintinueve negras, porque 87 ÷ 3 = 29. Luego suma 29 + 29, o multiplicas 29 x 2 = 58 teclas blancas. Luego restas 58 de 87: 87 - 58 = 29.

9. El número 23.

10. Doce. Mis padres son dos, cuatro mis abuelos, cinco mis hermanos y yo.

11. Dos de fresa, cuatro de limón, tres de piña y quince de naranja.

12. Al mayor le dio veintiocho camellos; al segundo, diecinueve, y al tercero le dio siete camellos. Y Jalil se quedó con uno. Así pues:

$$\begin{array}{r} 28 \\ +\underline{19} \\ 47 \end{array} \qquad \begin{array}{r} 47 \\ \underline{+7} \\ 54 \end{array}$$

$$\begin{array}{r} 54 \\ +\underline{\ \ 1} \\ 55 \end{array}$$

13. Veinticinco es menor que treinta y, si lo triplicamos, da 75, que es la mitad de ciento cincuenta (25 x 3 = 75).

14. Vamos a suponer que x es el número de caballos que compró José. De modo que tendremos 2x orejas, más x colas, más x bocas, más 4x patas = 8x - x = 245, o sea: 7x = 245; de ahí que x es igual a 245 entre 7. Por consiguiente, 35 es el número de caballos que José compró.

15. Cuarenta y siete, porque 38 - 29 = 9. Luego sumamos 38+9=47.

16.

$$1=4\div4$$

$$2=\frac{4+4}{4}$$

$$3=\frac{4-4}{4}$$

$$4=4$$

$$5=\frac{4+4}{4}$$

$$6=4+\frac{4-4}{4}$$

$$7=4+4-\frac{4}{4}$$

$$8=4+4$$

$$9=4+4+\frac{4}{4}$$

$$10=4+4+\frac{4+4}{4}$$

17. Si

16=E;
31=L;
13=C;
46=U;
31=L;
41=P;
11=A;
12=B;
31=L;
16=E;
16=E;
44=S; etcétera, entonces el mensaje es:

EL CULPABLE ES MANO NEGRA. CAPTÚRELO DE INMEDIATO.

18. Un ramo tendrá diecinueve flores y el otro treinta y ocho. A José le quedará una rosa. Primero divides 58 ÷ 3 = 19.33333. Entonces un ramo será de 19 rosas y el otro de 19 x 2 = 38; 38 + 19 = 57 y 57 + 1 = 58 rosas.

19. Dieciocho años, porque si tengo 9 años + 9 años, entonces tengo 18 años.

20. Tengo un perro, un gato y un loro. ¿Cómo lo supe? Si todos son perros menos dos (el loro y el gato), entonces tengo un perro, un gato y un loro.

21. No, es lo mismo, porque 25 x .75 = 18.75 y 75 x .25 =18.75.

22. Ninguna, porque doce docenas, o sea, 12 x 12 = 144, y 144 ÷ 2 = 72, y seis docenas = 6 x 12 = 72. Por tanto, 72 = 72.

23. Tres minutos.

24. Veintitrés, porque 23 x 2 patas (de cada paloma) = 46 patas. Les restamos estas 46 a las 94: 94 - 46 = 48 patas de conejo (cada conejo tiene cuatro patas); por tanto, 48 ÷ 4 = 12 conejos. Hay 23 palomas y 12 conejos, 23 +12 = 35 cabezas, y 48 + 46 = 94 patas.

25. El 56, ya que a cada número se le añade su último dígito, es decir, 19 + 9 = 28; 28 + 8 = 36; 36 + 6 = 42; 42 + 2 = 44; 44 + 4 = 48 y 48 + 8 = 56.

26. Veinte. Del 1 al 100 hay 18 números con 9: 9, 19, 29, 39, 49, 59, 69, 79, 89, 90, 91, 92, 93, 94, 95, 96, 97, 98, además del 99, que tiene dos nueves: 18 + 2 = 20.

27. El primero cinco y siete el segundo, porque 5 - 1 = 4 y 7+1 = 8, y 7 - 1 = 6 y 5+1 = 6.

28. Cincuenta, porque 10 x 5 = 50.

29. Once panes.

30. Sí. Son los números del cero al nueve escritos por orden alfabético.

31. Cuarenta y dos. Cada dado tiene seis lados con los números del uno al seis. Si los sumamos: 1 + 2 + 3 + 4 + 5 + 6 = 21, y 21 + 21 = 42.

32. XXI, porque C = 100 y LXXIX = 79; 100 - 79 = 21 = XXI.

33. Quince de cada una, porque 15 x 5 = 75, y 75 + 15 = 90 pesos.
34. El número 20.

PREGUNTAS CAPCIOSAS

Respuestas en la página 59

1

El señor Gómez se tarda una hora y veinte minutos para trasladarse a pie de su casa a su oficina. Sin embargo, el tiempo que necesita para caminar de la oficina a su casa es de solamente ochenta minutos. Si el señor Gómez recorre las mismas calles, camina siempre a la misma velocidad y no hay ninguna circunstancia especial que retrase o acelere su viaje de ida o de vuelta, **¿cómo podrías explicar la diferencia de tiempo?**

2

Desde el punto de vista gramatical, ¿qué es más correcto: decir que 5 y 4 son 9, o 5 y 4 hacen 9? Reflexiona unos momentos acerca de esto y contesta lo siguiente: **¿7 por 8 son o hacen 52?**

3

Si en una casa viven once hermanos y cada uno de ellos tiene una hermana, **¿cuántos son en total?**

4

Elena tiene dos relojes: uno está parado, es decir, no funciona, y el otro se atrasa un minuto cada día. **¿Cuál de los dos es más exacto?**

5

Es una noche muy fría y sólo tienes un cerillo. En la habitación donde te encuentras hay una vela, un quinqué y una estufa, todo apagado. A fin de calentarte lo más rápidamente posible, **¿qué te conviene encender primero?**

6

¿Se te ocurre alguna manera en que se pueda demostrar que la mitad de 12 es 7?

7

¿Cuál era el monte más alto del mundo antes de que se descubriera el Everest?

8

En una caja hay cinco esferas azules y cinco amarillas. Metiendo la mano sin mirar, con los ojos vendados, **¿cuántas esferas debes sacar para que puedas estar seguro de tener dos del mismo color?**

9

Vas manejando un avión de Nueva York a Barcelona. El tiempo total de recorrido es de aproximadamente 12 horas, y la velocidad promedio de vuelo es de 150 km por hora. El avión lleva impresa la bandera de España en el ala derecha, y en él viajan ochenta y siete pasajeros. **¿Cuál es el nombre del piloto?**

10

Hay nueve pasteles que se van a repartir entre el dueño de la farmacia y su hija y el médico y su esposa. Cada uno dc ellos recibió tres pasteles. **¿Cómo es posible eso?**

11

Pedro y Pablo son hermanos. Pablo tiene tres sobrinos que no son sobrinos de Pedro. **¿Cómo está eso?**

12

Si un gallo se encuentra encima de un tejado y pone un huevo y, en ese momento, sopla un fuerte viento hacia la derecha, **¿de qué lado caerá el huevo?**

13

¿Qué parentesco tienes con el padre de los hijos del hermano de tu papá?

14

Antonio tiene cinco montones de canicas, Héctor tiene tres, Óscar cuatro y José seis montones. **¿Cuántos montones habrá si los juntan todos?**

15

Si el señor Fuentes visita a la suegra de la mujer de su hermano, **¿a quién va a ver?**

16

Sentados en una banca del parque están un niño y un adulto. El pequeño es hijo del adulto, pero el adulto no es papá del niño. **¿Cómo es posible eso?**

17

Pili y Mili dicen que son hijas del mismo papá y de la misma mamá. Sin embargo, Mili dice que no es hermana de Pili. Entonces, **¿qué es Mili?**

18

En el mercado, un lechero tiene sólo dos jarras, de tres y cinco litros de capacidad, para medir la leche que vende. Si llega un cliente que desea comprar un litro, **¿cómo le hará para medirlo sin desperdiciar la leche?**

19

Un tren eléctrico viaja de París a Burdeos. Si el viento sopla en dirección a París, **¿hacia dónde irá el humo del tren?**

Respuestas a

PREGUNTAS CAPCIOSAS

1. No hay ninguna diferencia, pues ochenta minutos es igual a una hora y veinte minutos (60 + 20 = 80 min).

2. No son ni hacen 52, sino 56.

3. Doce, porque 11 + 1 = 12.

4. El que no funciona, ya que marca la hora exacta dos veces al día, mientras que el otro solamente lo hará cada dos años.

5. El cerillo.

6. En la escuela te enseñaron que el número 12, en números romanos, se representa con las siguientes letras: XII. Si lo partes o lo divides de forma horizontal, te quedará VII, o sea 7.

7. El Everest.

8. Tres esferas.

9. El piloto eres tú.

10. La hija del dueño de la farmacia es la esposa del médico.

11. Los sobrinos de Pablo son hijos de Pedro.

12. Los gallos no ponen huevos.

13. Es tu tío.

14. Uno. Si se junta cualquier cantidad de montones siempre hará un solo montón.

15. A su madre.

16. El adulto es la mamá del pequeño.

17. Una mentirosa.

18. El lechero llena primero la jarra de tres litros. A continuación vierte el contenido en la de cinco litros. Luego llena de nuevo la de tres litros y la vuelve a verter en la jarra de cinco litros que ya contiene tres. Lo que quede en la jarra de tres litros será un litro de leche.

19. Los trenes eléctricos no echan humo.

EN CUESTIÓN DE MINUTOS

Soluciones en la página 63

1. Se sabe que una amiba se divide en dos cada minuto, de manera que dos amibas pueden llenar completamente un tubo de ensayo en dos horas. Ahora bien, ¿en cuánto tiempo podrá llenar una sola amiba otro tubo de ensayo de la misma capacidad?

2. Después de limpiar toda la casa, doña Chona estaba tan cansada que se fue a la cama a las nueve de la noche, con la intención de dormir hasta las diez de la mañana del día siguiente. Así que puso su despertador a las diez. Unos veinte minutos después de acostarse, doña Chona ya roncaba a pierna suelta. ¿Cuánto pudo descansar antes de que el despertador sonara?

3. ¿Qué hora es cuando faltan noventa minutos para la una de la tarde?

4. Si un reloj de cucú tarda cinco segundos en dar las seis, ¿cuánto tardará en dar las doce?

5. Joaquín Moncada, el piloto de Fórmula 1, completó una vuelta del circuito de Le Mans en un minuto y veintitrés segundos. Si continúa a ese ritmo, ¿cuánto tardará en completar sesenta vueltas?

Soluciones a

EN CUESTION DE MINUTOS

1. En dos horas y un minuto; ya que, si una amiba se divide en dos cada minuto, las dos llenarán el tubo en dos horas.

2. La pobre doña Chona durmió únicamente cuarenta minutos.

3. Las once y media de la mañana.

4. Si tarda cinco segundos en dar las seis, quiere decir que los intervalos entre cada campanada son de un segundo. Por tanto, tardará once segundos en dar las doce.

5. Una hora y veintitrés minutos, puesto que, al multiplicar por sesenta, los segundos pasan a ser minutos y los minutos, horas.

Los tres acertijos (cuento)

Hace muchos, muchísimos años, hubo un rey sumamente caprichoso y cruel, a quien le complacía reunir a menudo a sus vasallos para someterlos a pruebas de ingenio. ¡Ay de aquel que no diera la respuesta acertada! La pena más leve no era menor a cien azotes.

Cierta vez apareció en el reino un juglar muy listo y de gran habilidad. Sin pérdida de tiempo, el monarca lo mandó llamar y le dijo:

—Has osado entrar sin permiso en mis dominios, razón por la cual te enviaré a la horca. Sólo te librarás de la muerte si logras resolver estos tres acertijos.

El pobre juglar asintió, encomendándose a dios. Entonces el soberano formuló el primer acertijo: —A ver, dime, ¿cuánto valgo yo?

—Señor —contestó el juglar—, vuestra majestad vale

veintinueve dineros, pues a Jesucristo lo vendieron por treinta.

—¡Muy bien! —exclamó el rey—. Ahora contesta lo siguiente: ¿cuántos años, meses y días se tardaría alguien en dar la vuelta al mundo?

—Aquel que pueda montar en el carro del Sol, se tardará un día entero, ni más ni menos.

El rey aprobó la respuesta y enunció el tercero y último acertijo:

—¿Cuántas estrellas hay en el cielo?

A lo que el juglar respondió:

—Las que su majestad puede ver con sus reales ojos, esto es, cien millones. Y si no lo quiere creer, en este mismo momento puede empezar a contarlas.

Su augusta majestad rió a grandes carcajadas, que fueron coreadas por toda la asamblea de cortesanos y, de este modo, aquel juglar tan listo y de gran habilidad quedó en libertad.

¿CUÁL ES EL SANTO...?

¿Más comelón?
San Güichito.

¿Más pequeño?
San Tito.

¿Que más cura?
San Atorio.

¿Más santo?
El San Turrón.

¿Más fuerte?
San Son.

¿Clavadista?
Zam-bullido.

¿Más doloroso?
El santo... porrazo que me di al caer.

¿Cuál es la santa de los beisbolistas?
Santa Cachucha.

<u>En africano:</u>
Abuela: tata.
Ataúd: tumba.
Baile: bamba.
Camino: senda.
Cementerio: tumba-tumba.
Champú: mata piojo.
Diarrea: abunda lacaca.
Fiesta: pachanga.
Gorila: king kong.
Gorila con un perro en la playa: king kong con can en can-cun.
Hambre: abunda lagula.
Lluvia: mojaconagua lanuca.
No estoy de acuerdo: m'opongo.
Se acerca una tormenta: nosmamos amojá.
Traje de baño: tanga.

En alemán:

Abran la puerta: destranken.
Camión: suban, empujen-estrujen-bajen.
Llueve: gotaskaen.
Pregunten: interroguen.
Suegra: ajjj.
Tormenta: nubeskrugen.
Vaso: frasko.

<u>En árabe:</u>
Agricultor: jala la pala.
Ascensor: aliba va.
Diarrea: alud al kagar.
Escupir: ahí va-la-baba.
Fusilar: bala-va-atájala.
Lluvia: alomejó no mojamo.
Necesito bañarme: mohamed.
Tengo sed: abarjame lajarra.
Tiroteo: bala-va-bala-viene.
Urinario: la mezquita de Ben Imea.

<u>En coreano:</u>
Trompudo: je tong.

En chino:

Anciano: toi chocho.
Anís: chin chon.
Apagón: chin lu.
Autopista: iuuunnnggg.
Comí mucho: min chao.
Descalzo: chin chinela.
Despeinada: chin-chu-peine.
Divorcio: chao chochín.
Frágil: chi che cae checacha.
Hombre de muy baja estatura: cachi na.
Hombre delgado: fla ku ching.
Hombre muy alto: chin-fin.
Huérfano: chinchupale chinchumale.
Ministro del ejército: Pim Pam Pum.
Ministro de deportes: Ping Pong.
Ministro de hacienda: Chan Chu Yo.
Nudista: chin-calchón.
Perro con farol: kan kon kinké.
Pobre: chin lu, chin agua y chin ga.
Resorte: toing.
Sencillo: chimple.
Sinvergüenza: chi güen güen chon.
Suspenso: cha cha cha chaaan.
Viuda: chin chumacho.
Zapato sucio: tafuchi tuchancla.

<u>**Números en chino:**</u>
99: cachi chien.
100: cha chegó.
101: che pachó.
999: cachi mil.

<u>**En guaraní:**</u>
Caminaré: andaré porái.
Deber dinero: yatepagaré.
Detective: averiguaré.
Enloqueció: sepiró.
Me iré: mepiraré.
Tomar té por la tarde: merendeté.
Venganza: yavás aver.

<u>**En griego:**</u>
Caricatura: garabatos.

<u>**En hebreo:**</u>
Desnudo: tel aviv.

<u>**En inglés:**</u>
Copie bien: copyright.
El perro puede: can can.
Repollo: re chicken.
Talco para caminar: walkie talkie.

<u>**En italiano:**</u>
Bigote: trampolini di moco.
Calzoncillo: lacasita dalamiacolita.
Corazón: mio cardio.
Mosquito: il avione de l'habitazione.

<u>En japonés:</u>
Acatarrado: tumoko sesale.
Adivinador: Kómo-sabe.
Auto chocado: tu toyota tayoto.
Aviador inepto: yosimiro memareo.
Bebé: toi toíto kagaíto.
Bicicleta: kasimoto.
Bolsa grande: kos-tal.
Bombero: ataka layama.
Café amargo: takara lazukar.
Dedo meñique: sakamoko.
Dentista: tekurotocico.
Electricista: yokito fokito.
Encendedor: saka yama.
Espejo: ai toi.
Flaco: yono komo.
Futbolista inepto: notoko pelota.
Me gusta el chocolate: yoshi komo kakaíto.
Me robaron la moto: yanoveo miyamaha.
Media vuelta: kasigiro.
Médico: boti kin.
Ministro de Asuntos Exteriores: Tamala Lakos
Ministro de Aviación: Sikaigo Memato.
Ministro de Comunicaciones: Niskribo Nileo.
Ministro de Ecología: Nifumo Nibebo.
Ministro de Educación: Niselo Kesuno.
Ministro de Hacienda: Melikedo Kontodo.
Ministro de Información: Niselo Kepasa.
Ministro de Marina: Popoko Mahogo.
Ministro de Sanidad: Nisano Nikuro.
Modelo: kimona kisoy.
Muerto: ta tieso.
Oculista: temiro lozojo.
Piloto temerario: popoko memato.

Se fue: no-ta.
Se me acabó la gasolina: yamimoto nokamina.
Subcampeón: kasi-gano.
Tengo sed: kiro masawa.

En noruego:
Calzoncillos: escondinavos.

En portugués:
Árbol: eu caliptu.
Bigote: alfombra du moco.
Calvicie: aeroporto dos mosquitos.
Diarrea: cataratas du traseiro.
Ojal: casa du botón.
Raya del pelo: camino du piojo.

En rumano:
Sediento: meresku refresku.

En ruso:
Bailarina: sibrinka sedespetronka.
Caerse: kataplof.
Calzoncillos: sujeta pelotroskis.
Conjunto de árboles: boshke.
Insecto: moshka.
Muerto: perdoski lavidoski.
Perro comiendo donas: troski maska roska.
Piloto: simecaigo patatof.
Suegra: storbof.
Fin: saka-bo.

¿CUÁL ES EL COLMO...?

¿De un farmacéutico?
Cerrar su farmacia porque no le quedó más remedio.

¿De un cazador?
Que su hijo se haga pato.

¿De un libro?
Tener título sin haber ido a la universidad.

¿De otro libro?
Tener pasta y no poder lavarse los dientes.

¿De un taxista?
Frenar en seco durante un aguacero.

¿De una vaca?
Que vea el béisbol y no los toros.

¿De un mesero?
Que no sirva en su casa.

¿De un fotógrafo?
No poder revelar sus secretos.

¿De otro fotógrafo?
Que se le rebelen los hijos.

¿De un ave?
Tener plumas y no poder escribir.

¿De un restaurante?
Cerrar para comer.

¿De una costurera?
Perder el hilo de la conversación.

¿De un dinamitero?
Que lo exploten en su trabajo.

¿De un jardinero?
Regarla todos los días.

¿De una abeja?
Ser alérgica al polen.

¿De un portero?
No encontrar la salida.

¿De un agente de tránsito?
Que lo muerda un perro.

¿De un electricista?
Cortar la corriente de un río.

¿De un nopal?
Que se le caiga la baba.

¿De una sirena?
Que la lleven en una ambulancia.

¿De un muñeco de nieve?
Que se derrita por su novia.

¿De un negro?
Ponerse blanco del susto.

¿De un blanco?
Ponerse negro del coraje.

¿De un coco?
Que un niño lo amenace con que se lo va a comer.

¿De un elefante?
Los elefantes no tienen colmos, tienen colmillos.

¿De un campeón de natación?
Que se esté ahogando en un vaso de agua.

¿De una mona?
Ser fea.

¿De un arquitecto?
Construir castillos en el aire.

¿De un tacaño?
No comer plátanos para no tirar la cáscara.

¿De un astronauta?
Quejarse de no tener espacio.

¿De un músico?
Que, al perder el conocimiento,
en lugar de volver en sí vuelva en do.

¿De un avaro?
Dormir de lado para no gastar las sábanas.

¿De un ajedrecista?
Trabajar de peón en la construcción de una torre.

¿De otro ajedrecista?
Que le den en la torre.

¿De un asqueroso?
Pegar un moco debajo de un banco y encontrarse otro.

¿De un jorobado?
Estudiar derecho.

¿De un revólver?
Tener perrillo en vez de gatillo.

¿De un médico?
Matar el tiempo por falta de pacientes.

¿De un domador?
Domar la Osa Mayor.

¿De un frutero?
Que su novia le dé calabazas.

¿De un cartero?
Jugar a las cartas al salir del trabajo.

¿De un barco?
Frenar en seco.

¿De un robot?
Tener los nervios de acero.

¿De un motociclista?
Sacar la mano para ver si llueve.

¿De la mala suerte?
Echarse en un pajar y clavarse la aguja.

¿De un oculista?
Querer operar las cataratas del Niágara.

¿De un muerto?
Que le cuenten un buen chiste y
no poder morirse de la risa.

¿De un albañil?
Llamarse Armando Casitas.

¿De un boxeador?
Caerse de un sexto piso y esquivar el golpe.

¿De otro boxeador?
Sacarse un moco con el guante.

¿El colmo más grande?
Estocolmo.

¿De colmos?
Que un mudo le diga a un sordo
que un ciego lo está mirando.

¿De un tacaño?
Comerse los mocos a escondidas
para que nadie le pida.

¿De una sardina?
Que le den mucha lata.

¿De un leñador?
Dormirse como un tronco.

¿De un vago?
Madrugar para estar más tiempo sin hacer nada.

¿De un rey?
Sentarse en la esquina de una mesa redonda.

¿Cuál es el colmo de colmos de un cirujano?
Operar a una mosca de apendicitis
con guantes de boxeo.

¿De una aspiradora?
Ser alérgica al polvo.

¿De un siquiatra?
Tener clientes que se hagan los
locos a la hora de pagar.

¿De un filósofo?
Meterse dentro de un pozo para pensar con más profundidad.

¿De un inspector de hacienda?
Tener un horario impuesto.

¿De un carpintero?
Pasarse el día tocando madera.

¿De un cantante de ópera?
Haber tenido un plácido domingo.

¿QUÉ LE DIJO...?

¿Qué le dijo una pera a otra pera?
El que espera, desespera.

¿Qué le dijo el dos al cero?
¡Vamos, veinte conmigo!

¿Qué le dijo el mar a uno que se estaba ahogando?
Nada.

¿Qué le dijo un poste grande a uno pequeño?
Póstate bien.

¿Qué le dijo el elefante a la pulga?
¡Qué pesada eres!

¿Qué le dijo un ciego a otro ciego?
¡Cásate y verás!

¿Qué le dijo el sombrero a los zapatos?
Yo siempre a la cabeza y ustedes por los suelos.

¿Qué le dijo un pato a otro pato?
¡Cua, cua, cuánto tiempo sin verte!

¿Qué le dijo la vaca al toro?
¡Vete al cuerno!

¿Qué le dijo el gallo al carnicero?
Cada vez que te veo se me pone la carne de gallina.

¿Qué le dijo un asno a otro?
¡No seas burro!

¿Qué le dijo el mar al toro?
Nada, buey.

¿Qué le preguntó una pulga a otra al salir del teatro?
¿Nos vamos caminando o nos subimos a un perro?

¿Qué le dijo el huevo a la sartén?
¡Ya me tienes frito!

¿Qué le dijo un pie al otro pie?
¡Sígueme!

¿Qué le dijo una oveja a otra?
Beee. Y la otra respondió: Ve tú.

TANTANES

Era una mansión tan elegante, tan elegante que hasta las cucarachas se ponían esmoquin para cenar.

Era un tren tan veloz, tan veloz que llegaba a su destino diez minutos antes de salir.

Era un vino tan viejo, tan viejo que la botella tenía arrugas.

Era un hombre tan bruto, tan bruto que se cortó una oreja porque la tenía repetida.

Era un jinete tan malo, tan malo que montaba en cólera porque no sabía montar a caballo.

Era un hombre tan avaro, tan avaro que no prestaba ni atención.

Es tan tonto, tan tonto que no sabe escribir el número once, pues no sabe cuál uno va primero y cuál después.

Era una chica tan mona, tan mona que únicamente comía cacahuates.

Era un chiste tan malo, tan malo que le pegaba a los chistecitos.

Era una charca tan seca, tan seca que hasta las ranas llevaban cantimplora.

Era un hombre con una boca tan grande, tan grande que, cuando salía a la calle, la gente echaba las cartas en ella.

Era una señora tan mentirosa, tan mentirosa que cuando llamaba a su perro para darle de comer, éste no le creía.

Era una familia tan pobre, tan pobre que no tenían ni hambre.

Era un hombre tan pequeño, pero tan pequeño que cuando se sentaba en una moneda de cinco pesos, le sobraban tres.

Era un hombre con tan mala, tan mala suerte que, cuando se sentó en un pajar, se clavó la aguja.

Era una casa tan alta, tan alta que cuando el domingo se le cayó una teja, ésta llegó al suelo hasta el viernes.

Era un niño tan dientón, tan dientón que cuando llegaba a casa, lo subían a una silla para que no rayara el parquet.

Era una mujer tan limpia, tan limpia que se puso a lavar el azúcar morena para que quedara bien blanca.

Era un tipo tan sonso, tan sonso que, cuando llenaba algún formulario y leía la frase "Deje en blanco este espacio", ponía "De acuerdo".

Era una persona tan miope, tan miope que hacía el bien sin mirar a quién.

Era un señor tan limpio, tan limpio que se lavaba las manos antes de bañarse.

Era un hombre tan tonto, tan tonto que fue a un concurso de tontos y ganó el segundo lugar, por tonto.

Es tan cursi, tan cursi que le escribe a su novia cartas de amor en papel cebolla para hacerla llorar.

Era tan sonso, tan sonso que creía que las epístolas eran las esposas de los apóstoles.

Es tan chaparro, tan chaparro que la cabeza le huele a pies.

Cuando nació era tan feo, pero tan feo que el que lloró fue el médico.

ACERTIJOS SOBRE GALLEGOS

¿Por qué los gallegos cambian con mucha frecuencia los buzones?
Porque se les llenan de cartas.

¿Por qué en Galicia no hay cocoteros?
Porque le tienen miedo al coco.

¿Por qué gastan tanta electricidad los gallegos?
Porque, por más que soplan, no se apagan los focos.

¿Por qué los gallegos llevan una escalera cuando van de compras?
Por si bajan los precios.

¿Por qué descubren de inmediato a los ladrones de bancos en Galicia?
Porque hacen un agujero para entrar y otro para salir.

¿Por qué los gallegos meten botellas vacías en el refrigerador?
Por si algunos de sus invitados no desean tomar nada.

¿Por qué creen los gallegos en el infierno?
Porque también creen en la primavera, el verano y el otoño.

¿Por qué hay en Galicia un reloj de Sol con números luminosos?
Para ver la hora de noche.

¿Por qué los gallegos echan cebolla en la carretera?
Porque les han dicho que es buena para la circulación.

¿Por qué toman los gallegos el cuarto café en vaso?
Porque el médico les ha dicho que tomar más de tres tazas es peligroso.

¿Por qué los gallegos se abanican con serrucho?
Porque les han dicho que el aire de la sierra es muy saludable.

¿Por qué en Galicia los policías ponen una bañera en los techos de sus patrullas?
Por si la sirena se quiere bañar.

¿Por qué hacen los gallegos un hoyo profundo y después se meten dentro?
Porque en el fondo no son tan brutos.

PREGUNTAS DIFÍCILES QUE PARECEN FÁCILES

Respuestas en la página 95

1. ¿De dónde provienen las grosellas chinas?
2. ¿Cuánta tierra hay en un hoyo de un metro por un metro por un metro?
3. ¿En qué país se fabrican los sombreros de Panamá?
4. ¿De qué están hechos los pinceles de pelo de camello?
5. ¿Cuánto duró la Guerra de los Cien Años?
6. ¿De qué animal se obtiene la fibra de tripa de gato (llamada catgut) que se emplea en cirugía?
7. ¿En qué mes celebran los rusos la Revolución de Octubre?
8. ¿De qué animal procede el nombre de las Islas Canarias?
9. ¿Cómo se llamaba el rey Jorge VI?
10. ¿Cuánto duró la última Guerra de los Treinta Años?

Respuestas a preguntas difíciles que parecen fáciles

1. De Nueva Zelanda.
2. No hay tierra, es un hoyo.
3. En Ecuador.
4. De la ardilla de los pinares.
5. Ciento dieciséis años (de 1337 a 1453).
6. De ovejas y caballos.
7. En noviembre.
8. Del perro. El nombre en latín era Ínsula Canaria, es decir, Tierra de los Perros.
9. Alberto.
10. Pues treinta años, de 1618 a 1648.

Este libro se terminó de imprimir
el 25 de mayo de 2010 en los talleres
de Swan Press, B-71, Naraina
Industrial Area, Phase-2, New Delhi,
India. La edición consta de 10,000
ejemplares.